D1598567

Petits et grands ménages
ÉCOLOGIQUES avec le

BICARBONATE
DE SOUDE

Ce livre appartient à

ÉDIMAG
PRÈS DU PUBLIC

C.P. 325, Succursale Rosemont
Montréal (Québec), Canada H1X 3B8
Téléphone: 514 522-2244
Courrier électronique: info@edimag.com
Internet: www.edimag.com

Infographie: Écho International
Correction: Michèle Marchand, Pascale Matuszek

Dépôt légal: deuxième trimestre 2008
Bibliothèque et Archives nationales du Québec
Bibliothèque nationale du Canada

© 2008, Édimag inc. Tous droits réservés pour tous pays.
ISBN : 978-2-89542-257-0

Québec ⁞⁞   Canada

L'éditeur bénéficie du soutien de la Société de développement des entre-
prises culturelles du Québec pour son programme d'édition.

Gouvernement du Québec - Programme de crédit d'impôt pour l'édition
de livres - Gestion SODEC.

Nous reconnaissons l'aide financière du gouvernement du Canada par
l'entremise du Programme d'aide au développement de l'Industrie de
l'édition (PADIÉ) pour nos activités d'édition.

GÉRARD LAMBERT

Petits et grands ménages ÉCOLOGIQUES avec le

BICARBONATE DE SOUDE

ÉDIMAG
PRÈS DU PUBLIC

Édimag est membre de l'Association nationale des éditeurs de livres du Québec (ANEL).

DISTRIBUTEURS EXCLUSIFS

POUR LE CANADA ET LES ÉTATS-UNIS
LES MESSAGERIES ADP
2315, rue de la Province
Longueuil (Québec)
CANADA   J4G 1G4

MESSAGERIES
adp inc.
Une compagnie de Quebecor Media

Téléphone: 450 640-1234 / Télécopieur: 450 674-6237

POUR LA SUISSE
TRANSAT DIFFUSION
Case postale 3625
1 211 Genève 3   SUISSE

Téléphone: (41-22) 342-77-40 / Télécopieur: (41-22) 343-46-46
Courriel: transat-diff@slatkine.com

POUR LA FRANCE ET LA BELGIQUE
DISTRIBUTION DU NOUVEAU MONDE (DNM)
30, rue Gay-Lussac
75005 Paris   FRANCE

Téléphone: (1) 43 54 50 24
Télécopieur: (1) 43 54 39 15
Courriel: info@librairieduquebec.fr

SOMMAIRE

1

LE BICARBONATE DE SOUDE

Un autre livre sur le bicarbonate de soude?

Mais oui!

Et pourquoi pas?

C'est que nous n'avons pas encore fait le tour du sujet... Loin de là!

Des études récentes nous apprennent qu'une famille moyenne utilise entre 20 et 40 litres de nettoyants toxiques par année! Cela représente une moyenne de 63 produits chimiques qui mettent la santé en danger: perturbation des systèmes hormonaux, nerveux, immunitaires, respiratoires, etc. On commence à croire que certains sont peut-être même cancérigènes!

Le bicarbonate de soude n'abîme rien, ne fait de mal à personne, et ne laisse derrière lui que du propre!

Heureusement, il semble que chaque jour on découvre de nouvelles utilisations à ce produit à la fois si modeste et si sensationnel.

Alors... depuis le temps que j'en entends parler sans le connaître vraiment, et parce que je suis affligé d'une curiosité sans fond, je me suis dit:

«Tiens... si je mettais ma curiosité à profit... Et si j'en faisais profiter les autres...»

2

PETITE HISTOIRE D'UN GRAND PRODUIT

L'histoire du bicarbonate de soude commence avec le natron.

Il y a... très, très, très longtemps!

Mais, cet ancêtre du bicarbonate n'est quand même pas si éloigné de la fine poudre blanche que nous connaissons aujourd'hui!

Le natron est un minéral composé de carbonate de sodium hydraté (Na_2CO_3-$10H_2O$), de **bicarbonate de sodium** ($NaHCO_3$), de chlorure de sodium ($NaCl$) ou sel de table, et de sulfate de sodium (H_{11}).

À son état pur, il est blanc, parfois translucide; s'il contient des impuretés, il est gris ou jaunâtre.

Le natron se forme lors de l'évaporation de l'eau, particulièrement riche en sodium, contenue dans des lacs situés dans un environnement aride.

D'importantes quantités de natron se retrouvent en Libye, en Égypte, au Botswana, au Tchad, et aux États-Unis. C'est d'ailleurs chez nos voisins américains (qui l'appellent «trona», mais les différences sont minimes, un peu comme chez les jumeaux identiques), au Wyoming, que se situe le plus important gisement de ce minéral rare. La formation de ce gigantesque gisement est le résultat de cycles d'évaporation répétée et rapide du lac Gosiute pendant plus de cinquante millions d'années.

Les grandes sociétés chimiques américaines comme Texas Gulf, Stauffer, Allied et FMC, s'y sont implantées, mais maintenant, à la suite de fusions de sociétés et de la venue d'Européens, on y trouve les cinq plus grands producteurs de bicarbonate de soude du monde: Solvay Minerals, OCI Chemical, FMC, TG Soda Ash et General Chemical.

À travers l'histoire, depuis des siècles, voire des millénaires, on a utilisé le natron de mille et une façons.

En Égypte, au temps des pharaons, on récoltait déjà cette mixture salée dans le lit des lacs asséchés, et on l'utilisait tant pour les soins du corps que pour l'entretien de la maison.

Mélangé à de l'huile, il a été l'un des premiers savons, adoucissant l'eau et faisant disparaître les taches de graisse et d'alcool.

On s'en servait comme dentifrice et comme rince-bouche rafraîchissant.

Il faisait des miracles comme anti-septique pour traiter les éraflures, coupures et autres blessures légères. Il aidait à conserver les viandes et les poissons.

C'était un insecticide fort utile tant à l'intérieur qu'autour de la maison.

Il faisait aussi partie des ingrédients nécessaires à la momification, absorbant l'eau et créant un environnement hostile pour les bactéries.

Les artistes de l'époque ont pu décorer l'intérieur de majestueux tombeaux sans que leurs peintures ne soient salies par la suie des lampes puisque celles dont ils se servaient n'en produisaient pas.

Elles étaient alimentées par un combustible fait d'huile animale et... de natron!

Le monde a évolué, s'est transformé. Le natron aussi. Pour le mieux.

Au fil du temps, la plupart des utilisations domestiques et industrielles du natron ont été confiées à des composés chimiques de sodium et de minéraux que l'on pourrait considérer comme de très proches parents du natron, puisque l'ingrédient principal, le bicarbonate de sodium, en est extrait.

Le procédé utilise de l'ammoniac pour produire du carbonate de sodium (Na_2CO_3) à partir de sel et de craie, aussi appelé cendre de soda. Ce carbonate de sodium donne du **bicarbonate de soude** selon la réaction suivante:

$$Na_2CO_3 + H_2O + CO_2 = 2\ NaHCO_3.$$

Un produit parfaitement sécuritaire pour l'environnement, qui a de multiples usages et ne coûte pratiquement rien, si on compare son prix à tous les produits qu'il peut (**et devrait**) remplacer. (Notez que le bicarbonate de sodium est présent dans tous les organismes vivants. Il équilibre le pH sanguin, jouant ainsi un rôle primordial dans le maintien de la santé. Il fait donc, véritablement, partie de notre vie!)

3

ET PUIS...

C'est en 1791, qu'un chimiste français met au point pour la première fois le bicarbonate de soude tel que nous le connaissons aujourd'hui.

Mais c'est il y a un peu plus de 150 ans, en 1846, que deux hommes, Austin Church et John Dwight, fondaient une entreprise entièrement consacrée au raffinage du carbonate de sodium pour en faire du bicarbonate de soude.

Le premier nom de commerce de leur produit: «Cow Brand». D'où l'appellation familière «La p'tite vache», parce que sur les contenants de carton rectangulaires on pouvait voir Lady Maud, une vache de race Jersey pure, gagnante de plusieurs concours, icône parfaite pour représenter l'utilisation traditionnelle du bicarbonate de soude et du lait en cuisine.

Quelques années plus tard, John Dwight fondait une autre compagnie et lui donnait le nom de «Arm & Hammer», avec, dans un petit cercle rouge, un dessin représentant le bras de Vulcain, dieu romain du feu, abaissant son marteau sur une enclume, pour symboliser la puissance du bicarbonate de soude.

Je tenais à parler de ces deux marques, les premières à faire connaître le bicarbonate de soude au grand public, et certainement les plus connues. Toutefois, quelle que soit celle que vous utilisez, le produit reste le même, et ses propriétés sont tout aussi étonnantes.

C'est donc ainsi qu'est né le «baking soda», des mots que nous avons traduits par «soda à pâte», limitant ainsi son usage à la cuisine.

C'est pourtant avec cent tonnes de «baking soda» qu'on a nettoyé les parois intérieures en cuivre de la statue de la Liberté, lors de sa restauration, en 1986! C'est certainement avec ce produit que les stars de Hollywood nettoient leurs Oscars! Et c'est encore et toujours avec la même fine poudre blanche que vous pouvez réaliser des centaines de miracles quotidiennement!

C'est un produit **pur**, **sûr** et **naturel** qui, grâce à ses propriétés chimiques (naturelles, j'insiste!) et physiques aussi uniques qu'impressionnantes, nettoie en douceur. Ses cristaux, infiniment petits, de forme angulaire, délogent les saletés incrustées sans égratigner les surfaces, puisque le bicarbonate se dissout rapidement dans l'eau.

Il désodorise avec efficacité: il ne masque pas les odeurs, mais s'attaque à la source du problème et les pulvérise en neutralisant leur pH. Et, bien évidemment, il est fort utile dans la cuisine et pas seulement en boulangerie ou en pâtisserie.

Cela dit, je ne suis pas chimiste, n'aspire pas à le devenir et ne tiens pas à savoir comment le bicarbonate de soude réussit à accomplir tant de mini prodiges! Les résultats me suffisent! Cependant, j'ai beau ne pas aimer la chimie, je dois me rendre à l'évidence: les produits chimiques font depuis toujours partie de mon quotidien!

De l'eau de Javel, toxique et corrosive, à mon déodorant «antisudorifique» aux sels d'aluminium; des nettoyeurs de toutes sortes «à l'ammoniac», aux aérosols dont les chlorofluorocarbones détruisent la couche d'ozone protégeant la planète; des détergents contenant des phosphates aux innombrables additifs contenus dans la nourriture que je consomme: tout ce qu'on retrouve dans les supermarchés a subi tant de manipulations et de transformations que même les légumes et les fruits «frais» ont perdu leur goût original. (Dieu merci, j'habite à la campagne, et tout l'été je me régale de légumes qui n'ont eu à franchir que la courte distance du champ au kiosque où je me les procure plusieurs fois par semaine.

Vous croyez que je m'éloigne de mon sujet?

Pas du tout!

C'est parce que j'ai à cœur de **garder la planète en santé**, que j'écris tout ça, et parce que mes recherches m'ont convaincu que cette poudre miraculeuse appelée bicarbonate de soude était vraiment sans danger et pouvait remplacer des centaines de produits franchement dangereux pour l'environnement. (Et je ne parle même pas du prix exorbitant de certains de ces produits!)

Ma curiosité satisfaite quant à l'origine de cette substance prodigieuse, mon ambition a pris le dessus et je me suis dit que ce serait formidable d'écrire **LE** livre sur le bicarbonate de soude!

Rien de moins! Présomptueux? Évidemment!

Devant un produit aussi polyvalent, je dois faire preuve d'humilité!

C'est donc très humblement que je viens partager les résultats de mes recherches, en me disant que vous pourrez compléter mon ouvrage en y ajoutant vos propres trucs et secrets et même, si le cœur vous en dit, m'en faire part.

***

Une petite mise en garde: utilisé avec parcimonie, le bicarbonate de soude est sans danger. Mais souvenez-vous que c'est un produit chimique (même s'il est tout à fait naturel! j'insiste encore!) et puissant. Dans le doute, informez-vous.

Et même s'il s'entend bien avec le vinaigre, il ne faut jamais les mélanger dans un récipient fermé! Combinés, ils produisent du gaz carbonique, qui, lui, souffre vraiment de claustrophobie!

4

DANS
LA CUISINE

Tout le monde a une boîte de bicarbonate dans son réfrigérateur.

Non?

Ben voyons!

C'est là que tout commence!

Il suffit d'ouvrir la boîte et de la placer dans le réfrigérateur pour que le bicarbonate agisse comme désodorisant. Toutes les deux semaines, vous secouez la boîte, et vous la remplacez au bout de deux mois... mais vous ne la jetez pas!

Quand son cycle désodorisant est révolu, le produit est encore utile: versez son contenu dans le lavabo ou le broyeur à déchets, ajoutez une tasse de vinaigre, fermez l'ouverture du renvoi, et laissez agir toute la nuit. Au matin, ouvrez le robinet et laissez couler l'eau chaude un moment. Une façon sûre d'entretenir la tuyauterie, qui la laissera propre et sans mauvaises odeurs.

Ayez toujours une boîte de bicarbonate près de la cuisinière.

En cas de feu causé par de l'huile ou du gras, jetez-en un peu sur les flammes. Il n'abîmera ni le dessus des comptoirs ni les chaudrons. Il est aussi sécuritaire pour éteindre les flammes sur les tapis et les meubles rembourrés que les feux causés par l'électricité ou l'essence. D'ailleurs, certains extincteurs contiennent du bicarbonate de soude!

Pour nettoyer le réfrigérateur, le congélateur ou le four à micro-ondes, saupoudrez du bicarbonate de soude sur un linge humide. Rincez avec de l'eau tiède additionnée d'un peu de vinaigre.

Même chose pour les glacières, dans lesquelles, avant de les remiser, on peut placer un contenant de plastique percé rempli de bicarbonate de soude.

Un thermos sera impeccable quand on l'aura lavé en le remplissant aux trois-quarts d'eau chaude additionnée de bicarbonate et en l'agitant comme un shaker pendant quelques minutes avant de le rincer à l'eau claire.

Le même traitement sera tout aussi efficace pour les biberons! Mais n'oubliez pas de bien rincer à l'eau claire.

Le bicarbonate fera aussi des miracles pour les cafetières en verre ou en acier inoxydable (pour l'acier inoxydable, prenez soin de frotter dans le sens du grain). Jamais vous ne les aurez vu aussi brillantes. Il fera disparaître le film de saleté qui s'accumule sur les parois. Votre prochain café n'en sera que meilleur!

Attention: **ne pas utiliser sur de l'aluminium!**

Quant à la machine à café: mélangez 2 cuil. à thé (10 ml) de bicarbonate de soude à 10 tasses (2,5 litres) d'eau, remplissez-en le réservoir d'eau et mettez la machine en marche. Puis répétez l'opération, mais sans bicarbonate de soude, pour bien rincer.

Faites faire un cycle complet au lave-vaisselle en remplaçant le savon par du bicarbonate de soude.

Faites tremper vos éponges et vos torchons malodorants. dans de l'eau additionnée de bicarbonate de soude.

Les poubelles sentent mauvais?

Solution: un petit lavage à l'eau et au bicarbonate de soude!

Vous êtes un chef extraordinaire, mais les odeurs d'ail et d'oignon imprègnent vos doigts? Mouillez vos mains et lavez-les avec du bicarbonate de soude!

(Ce conseil vaut pour toutes sortes d'odeurs tenaces.)

Et si je n'ai pas l'intention de vous donner des recettes (vous en trouverez facilement dans une foule de livres offerts sur le marché*), je peux quand même partager des petits trucs «culinaires»...

Vous aimez les omelettes?

Pour qu'elles goûtent aussi bon que celles de grand-maman, mettez-y ½ cuil. à thé (2,5 ml) de bicarbonate de soude pour 3 œufs.

---

* *Les merveilles du bicarbonate de soude*, de Lise Soto, chez Édimag.

Usages écologiques – Bicarbonate de soude, d'Étienne Marquis, chez Édimag.

Il sera plus facile d'étendre le glaçage sur les gâteaux si vous y ajoutez une pincée de bicarbonate de soude. Et il ne fendillera pas!

Lavez vos fruits et légumes avec du bicarbonate de soude. Remplissez un grand bol d'eau, ajoutez-y un peu de cette poudre blanche, faites tremper vos légumes et rincez. Parfait pour les laitues, qui seront plus facilement débarrassées des grains de sable et des insectes qui s'y cachent parfois.

Ajoutez un peu (très peu!) de bicarbonate de soude à l'eau quand vous faites bouillir les légumes. Les haricots verts et le brocoli garderont leur belle couleur. Les épis de maïs

resteront bien blonds et les broco-
lis bien croquants. Et l'odeur du
chou ou du rutabaga se fera plus
discrète!

Quand vous faites tremper vos
légumineuses, saupoudrez-les d'un
peu de bicarbonate de soude. Elles
cuiront plus vite et seront digérées
plus facilement!

Quand vous prévoyez manger des
fèves au lard, ajoutez 2 cuil. à soupe
(30 ml) de bicarbonate de soude à
votre plat. Vous vous en féliciterez
après le repas...

Quant au chou, qui a un peu le
même effet «gazeux» dans le systè-
me digestif, faites-le bouillir en

ajoutant 3 cuil. à soupe (45 ml) de bicarbonate de soude par gallon (4 litres) d'eau.

On dit aussi que l'utilisation du bicarbonate de soude en cuisine rend définitivement les plats meilleurs et plus digestes! (À essayer à tout prix si, comme moi, vous n'êtes pas un chef très doué!)

Pour éliminer l'acidité de vos sauces tomate, mettez-y un peu de bicarbonate de soude!

Vous avez un ulcère mais ne pouvez pas vous résoudre à ne plus boire de café? Versez dans votre tasse 1 cuil. à thé (5 ml) de bicarbonate de soude. L'acidité de votre breuvage favori sera neutralisée et votre estomac s'en réjouira.

Vous aimez le poisson mais pas son odeur?

Faites-le tremper dans un litre d'eau à laquelle vous ajoutez 2 cuil. à soupe de bicarbonate de soude. Réfrigérez pendant une heure. Asséchez avant de cuire.

Il y a de la nourriture brûlée, noircie, collée dans votre poêlon?

Faites-le tremper dans un mélange d'eau et de bicarbonate de soude avant de le laver, ou frottez-le avec du bicarbonate de soude sec et un tampon à récurer.

Bon... pour le four, j'ai trouvé plusieurs idées.

Laquelle est la meilleure? Je ne sais pas.

Mais il semble que pour les saletés qu'on retrouve sur les parois du four, il suffit de les frotter avec une éponge imbibée de cette solution: ½ tasse (125 ml) de bicarbonate de soude et ¼ de tasse (60 ml) d'eau chaude additionnée de jus de citron. On laisse sécher de 6 à 12 heures et on rince avec une éponge humide.

Pour les résidus collants, cuits ou calcinés, certaines personnes suggèrent de les asperger d'eau, de couvrir avec du bicarbonate de soude et de laisser agir.

D'autres conseillent de répéter la même opération plusieurs fois, dès que le mélange s'assèche, puis de mettre le four en marche et de faire cuire (!) et enfin, d'essuyer quand le four a refroidi.

L'avantage d'utiliser du bicarbonate de soude, c'est que vous ne risquez rien à faire vos tests. Faites autant de tests que vous voulez! Et votre solution sera la meilleure!

Pour les taches sur les surfaces de marbre, de plastique ou laminées, utilisez une pâte faite de bicarbonate de soude et d'eau. Ça n'égratignera pas les surfaces. Et passez ensuite un linge humecté de vinaigre.

L'argenterie et la coutellerie seront impeccables si vous les frottez avec du bicarbonate de soude et un torchon doux. Rincez à l'eau claire. Essuyez. Ça brille!

5

DANS LA SALLE DE BAINS

Ici aussi, tout ce qui se nettoie resplendira de propreté grâce à notre produit miracle. Douche, baignoire, cuvette de la toilette, lavabo, murs et plancher de céramique, comptoir, miroir.

Bon... les portes de verre de la douche sont un cauchemar pour bien des gens! La solution de rêve: 1 tasse (250 ml) de bicarbonate de soude mélangée à une ½ tasse (125 ml) de vinaigre. Cette solution fera facilement disparaître le film opaque résultant de l'accumulation de graisse, de moisissure et de savon qui couvre les vitres!

Et si la céramique est facile à nettoyer, le ciment entre les tuiles demande une attention particulière. Utilisez une brosse à poils raides et frottez avec du bicarbonate de soude.

Pour ceux qui habitent à la campagne et qui possèdent une fosse septique, il est recommandé, pour en équilibrer le pH, de verser une tasse de bicarbonate de soude dans la cuvette des toilettes une fois par semaine.

Et vous aurez aussi envie de vous «chouchouter»... Quoi de mieux qu'un bon bain bien chaud que l'on étire pour le plaisir! Ajoutez ½ tasse (125 ml) de bicarbonate de soude à l'eau et vous en sortirez avec une peau aussi douce que reconnaissante. Le bicarbonate de soude neutralisera les acides qui attaquent votre épiderme et aidera à dissoudre les huiles et les odeurs de transpiration.

Comme exfoliant pour la peau du visage, utilisez une pâte faite de 3 parts de bicarbonate de soude pour 1 part d'eau. Massez-en doucement votre peau en un mouvement circulaire. Rincez à l'eau tiède. Et c'est assez doux pour un usage quotidien!

Connaissez-vous les bienfaits des bains de pieds? Une bassine, de l'eau chaude, 4 cuil. à soupe (60 ml) de bicarbonate de soude.

Laissez tremper vos pieds. Massez-les gentiment avec un peu de bicarbonate de soude supplémentaire. Relaxez.

Bien-être garanti!

En plus, le bicarbonate de soude adoucira la corne qui se forme sous les talons, attendrira les durillons et soulagera les démangeaisons dues au pied d'athlète. Si vous souffrez de transpiration abondante, le bicarbonate de soude, utilisé régulièrement, aura raison des odeurs désagréables.

Ajoutez une petite quantité de bicarbonate de soude à votre shampoing. Lavez vos cheveux comme d'habitude et rincez consciencieusement. Le bicarbonate débarrassera vos cheveux des résidus laissés par les autres produits que vous utilisez, comme les fixatifs, les conditionneurs, les revitalisants, etc. Vos cheveux seront plus propres et plus faciles à coiffer.

Et puis... pour que les peignes et les brosses soient eux aussi bien propres, lavez-les dans un mélange d'eau chaude et... de bicarbonate de soude! Puis rincez-les bien et laissez-les sécher.

Comme déodorant corporel, vous pouvez utiliser une petite quantité de bicarbonate de soude sous les aisselles. Non seulement il neutralisera les odeurs, mais il permettra à votre parfum ou eau de toilette préféré de révéler sans obstacle toute votre personnalité! Vous pouvez aussi en saupoudrer dans vos chaussettes et vos chaussures.

On ajoute maintenant du bicarbonate de soude aux dentifrices! Il aide à blanchir les dents. Mais vous pouvez l'utiliser (en petite quantité) directement sur votre brosse à dents, deux ou trois fois par semaine. (Si vous l'employez trop souvent, vous risquez d'abîmer l'émail de vos dents.) Même chose pour les dentiers et appareils dentaires. Faites-les tremper comme vous le faites normalement, en ajoutant, une fois sur trois, un peu de bicarbonate de soude à votre produit nettoyant préféré. Vous aurez un sourire irrésistible!

Recette de rince-bouche efficace: ½ tasse (125 ml) d'eau, 1 cuil. à thé (5 ml) de bicarbonate de soude, 2 pincées de sel de mer. Résultat: moins de caries; meilleure haleine!

6

DANS LA SALLE DE LAVAGE

Le panier à linge sale se remplit vite et les odeurs de tout ce qu'il contient se mélangent... Pas de problème, il suffit de saupoudrer un peu de bicarbonate de soude sur les vêtements, à mesure que vous en ajoutez. Lors du lavage, le bicarbonate de soude aidera votre détergent favori à agir encore plus puissamment contre la saleté et les taches.

D'ailleurs, votre détergent favori durera plus longtemps et sera plus efficace si vous en remplacez une partie par du bicarbonate de soude à chaque brassée.

Dans un reportage télévisé sur la Martinique, une belle dame noire aux dents resplendissantes a donné le secret du blanc immaculé des vêtements portés par les habitants de l'île: du jus de citron! Et voici ce que j'ai trouvé sur Internet: pour du blanc plus blanc, ajoutez à votre détergent liquide 1 tasse (250 ml) de jus de citron, 1 tasse (250 ml) de bicarbonate de soude, et 1 tasse (250 ml) de vinaigre. Et si vous pouvez étendre votre lessive au soleil, vous obtiendrez du blanc plus blanc que blanc.

Quand vous avez terminé votre lavage, saupoudrez une petite quantité de bicarbonate de soude dans votre machine à laver. Quand vous l'ouvrirez pour votre prochaine brassée, elle aura conservé une bonne odeur de «frais»!

Les fameux «cernes autour du col» ne résisteront pas à ce traitement: fabriques une pâte épaisse de bicarbonate de soude et d'eau; faites-la pénétrer dans le tissu; laissez reposer 2 heures; rincez; lavez comme vous le faites d'habitude.

Quand les taches sont particulièrement rebelles, on peut aussi les imprégner d'un peu de vinaigre.

Il suffit de mouiller les tissus tachés de sang sous l'eau courante tiède et de faire pénétrer le bicarbonate de soude dans les fibres en frottant doucement. Et de répéter l'opération si nécessaire.

Frottez la semelle de votre fer à repasser avec une pâte de bicarbonate de soude et de vinaigre pour la débarrasser de l'accumulation d'amidon et du film collant qui risquent de tacher vos vêtements.

On brosse (énergiquement mais avec douceur) les sacs à main et autres sacs en toile avec de la poudre de bicarbonate de soude sèche pour les nettoyer. Même chose pour les vêtements de suède et les souliers de toile.

7

DANS LES PLACARDS

Un placard est un endroit fermé. On dit souvent d'un endroit qui n'est pas aéré qu'il «sent le renfermé»! C'est une odeur indéfinissable, mais définitivement désagréable! Faites comme pour le réfrigérateur: laissez dans un coin de votre placard ou sur une tablette une boîte ouverte de bicarbonate de soude.

On peut mettre de petites quantités de bicarbonate de soude dans les souliers, les bottes, les pantoufles, avant de les ranger pour la nuit ou pour quelques jours. Il suffit de retirer la poudre avant de les réutiliser pour toujours avoir des chaussures fraîches!

J'ai une petite chatte, Grace, que j'adore. Je mets un peu de bicarbonate de soude dans le fond de son bac avant d'y verser la litière. Grace en ressort parfois les pattes un peu blanches, mais je ne crains jamais de lui donner sa dose de «gros becs» sur le bedon, et les odeurs de litière restent dans la litière!

Vous avez un chien? Vous pouvez le saupoudrer de bicarbonate de soude avant de le peigner! (Et si des puces se sont attachées à lui, elles le quitteront!)

Un oiseau? Un hamster?

Dans le fond de la cage, sous le journal... saupoudrez du bicarbonate de soude!

Et pour nettoyer les cages...

Utilisez du bicarbonate de soude, de l'eau, un linge, une brosse!

Des poissons? Pour nettoyer l'aquarium... Eau et bicarbonate de soude. Un petit coup de vinaigre pour finir.

8

DANS LES CHAMBRES

Vous pouvez mettre du bicarbonate de soude sur le matelas avant d'y tendre vos draps. Et sur les oreillers avant de les couvrir de leur taie. On a beaucoup parlé des acariens, ces bestioles microscopiques responsables de fort désagréables allergies. Le bicarbonate de soude a pour effet de bloquer le développement des allergènes dus à la présence des acariens. (Pour le plaisir: ajoutez quelques gouttes d'huile essentielle de lavande sur les oreillers. Sommeil paisible et beaux rêves assurés!)

Pour les tapis: saupoudrez du bicarbonate de soude, laissez reposer quelques minutes et passez l'aspirateur. Puces, tiques et acariens seront tout à fait dégoûtés par ce traitement!

Dans les tiroirs des commodes, placez de petites boîtes percées contenant du bicarbonate de soude auquel vous pouvez ajouter quelques gouttes de votre huile essentielle préférée.

Le bicarbonate de soude peut être utilisé sur presque toutes les surfaces. Méfiez-vous toutefois de son utilisation sur de l'aluminium. Il pourrait affecter son lustre si vous ne frottez pas dans le sens du grain de ce métal.

D'ailleurs, il est toujours recommandé de tester le produit sur une portion de la surface que vous nettoyez qui n'est pas apparente. Ainsi, s'il y a incompatibilité, les dégâts seront limités.

9

DANS
LE SALON

Sur les tapis... bon... vous savez... Je ne me répéterai pas.

Les traces de chaussures sur les planchers de bois, de céramique, de vinyle, s'effaceront en un rien de temps en les frottant avec un peu de bicarbonate de soude sur une éponge.

Vous avez des meubles de cuir? Voici une excellente recette de produit nettoyant pour le cuir: ¾ de tasse (180 ml) d'eau, ¼ de tasse (60 ml) de sel de mer, 2 cuil. à soupe (30 ml) de bicarbonate de soude, 1 cuil. à thé (5 ml) de farine.

Lavez vos meubles avec une éponge imbibée de cette solution. Essuyez avec un linge sec.

Votre cuir n'aura jamais été aussi beau!

Des chaises en vinyle seront impeccablement lavées avec de l'eau et du bicarbonate de soude, puis vous pourrez les rincer avec du vinaigre!

(D'ailleurs, pour rincer, le vinaigre, allongé ou non, est généralement un excellent choix.)

Les vitres des fenêtres (de toute la maison!) seront d'une incomparable transparence si vous les lavez avec un linge humide saupoudré de bicarbonate de soude et si vous les rincez avec un autre linge imbibé d'eau chaude seulement. Même traitement pour les miroirs!

Pour redonner sa beauté et sa richesse au laiton, fabriquez une pâte: 2 cuil. à soupe (30 ml) de farine, 1 cuil. à soupe (15 ml) de sel, 1 cuil. à soupe (15 ml) de bicarbonate de soude et juste assez de vinaigre pour que la mixture soit relativement consistante.

Frottez votre laiton.

Et polissez avec un linge doux pour faire briller.

Vous avez déplacé un tableau et le trou laissé par le clou vous agace?

Faites une pâte épaisse d'eau et de bicarbonate de soude et utilisez-la comme plâtre! Laissez sécher, puis: un petit coup de papier sablé, un autre de pinceau et voilà un mur tout neuf!

Avec le temps, le bicarbonate de soude peut perdre de son efficacité. Si votre boîte est ouverte et, de surcroît, si elle est placée au réfrigérateur, son contenu peut devenir trop chargé en humidité.

Pour savoir si le bicarbonate de soude est encore actif, placez un peu de vinaigre (20 ml) dans un petit bol et ajoutez 5 ml de bicarbonate de soude. S'il y a une réaction d'effervescence, c'est que le produit a encore toutes ses propriétés actives.

10

DANS
LE GARAGE

Votre beau garage bien propre et bien rangé est déshonoré par des taches d'huile sur le béton. Des taches semblables se retrouvent sur l'asphalte ou le pavé uni de votre entrée. Pas de panique! Avant de mettre n'importe quoi dessus, essayez de les faire disparaître en y saupoudrant du bicarbonate de soude que vous frotterez avec une brosse à poils durs. Rincez à l'eau claire. Si les taches ne disparaissent pas totalement au premier traitement, recommencez. Avec un peu de patience et d'énergie, elles s'effaceront.

Le bicarbonate de soude est un alcali relativement doux et il sera très efficace pour neutraliser la corrosion causée par l'acidité des batteries dans la voiture, la tondeuse à gazon, etc.

Évidemment, commencez par débrancher les batteries! Et souvenez-vous qu'elles contiennent un acide dangereux si vous devez les manipuler!

Faites une pâte avec 3 portions de bicarbonate pour 1 portion d'eau. Nettoyez les bornes, ou serre-fils, avec une mini brosse à poils durs. Quand ils seront bien propres et reconnectés, enduisez-les de gelée de pétrole pour éviter une nouvelle accumulation de dépôt corrosif.

Du bicarbonate de soude dans le cendrier de la voiture fera disparaître les mauvaises odeurs de fumée et aidera votre cigarette à s'éteindre rapidement.

Évidemment, le bicarbonate de soude est utile pour nettoyer toute la voiture! Pas seulement le cendrier! Il est sans danger pour le chrome, le vinyle, le cuir. Il sera parfait pour les phares, le pare-brise, les pneus.

Et son effet désodorisant sera certainement apprécié par les passagers si vous en saupoudrez sur les tapis et dans le coffre arrière avant de passer l'aspirateur!

Quant aux pinceaux «raides» qui semblent bons pour la poubelle, voici une bonne nouvelle! Faites-les tremper toute une nuit dans 4 tasses (un litre) d'eau chaude à laquelle vous aurez ajouté ¼ de tasse (60 ml) de bicarbonate de soude.

Au matin, rincez-les bien. Ils seront comme neufs!

Pour conserver du bicarbonate de soude plus longtemps, placez votre boîte dans un endroit sombre et à l'abri de l'humidité en refermant bien l'emballage après chaque utilisation.

Un petit truc utile: vous pouvez verser le contenu de la boîte dans un plat de plastique opaque avec un couvercle se refermant hermétiquement. Ainsi, vous contrôlerez lumière et humidité de façon optimale.

11

SUR LA TERRASSE

Quoi de plus tentant qu'un bain de soleil quand les vacances estivales arrivent enfin? Alors on en profite! Parfois un peu trop... Si le bain de soleil se transforme en coup de soleil, appliquez doucement (très doucement!) sur la peau une pâte composée d'eau et de bicarbonate de soude. Ça aidera à atténuer la douleur et vous pèlerez moins dramatiquement quand votre épiderme se régénérera.

Vous avez un nouveau patio et aimeriez lui donner un look moins «neuf», un peu plus rustique? Mélangez 2 tasses (500 ml) de

bicarbonate de soude à 8 tasses
(4 litres) d'eau et étendez ce liquide
sur le bois avec une brosse à poils
durs, en travaillant dans le sens du
grain. Laissez agir pendant une heure
et rincez à l'eau tiède.

Pour redonner un air de jeunesse aux
meubles de patio en résine de synthè-
se, mettez du bicarbonate de soude
sur une éponge et frottez doucement
en un mouvement circulaire. Le
bicarbonate de soude ayant aussi des
propriétés de «blanchisseur», il fera
des merveilles. Rincez bien à l'eau
claire. Voilà!

Pour maintenir le taux parfait d'alcalinité dans la piscine, versez-y 3/4 de
livre (environ 340 g) de bicarbonate

de soude par 5 000 gallons (environ 18 000 litres) d'eau. Le bon taux d'alcalinité est important pour minimiser les changements de pH ou quand les produits chimiques d'entretien de base (ou des polluants) sont introduits dans l'eau.

Il paraît que le chlore dans l'eau de la piscine peut rendre les cheveux... verts! (Ne le dites pas à vos adolescents... ils seraient trop heureux d'en profiter et d'en faire profiter leurs copains et copines!) Pour éviter ce désagrément, après la baignade, lavez-vous les cheveux avec cette mixture: le jus d'un citron dans ¼ de tasse de bicarbonate de soude.

Il vous arrive peut-être de ressentir des brûlures d'estomac après le garden-party parce que vous avez un peu abusé des bonnes choses: alcool, brochettes et côtelettes cuites sur le barbecue, sauces épicées... Souvenez-vous que le bicarbonate de soude est un antiacide très efficace. Une cuillerée à thé (5 ml) dans un verre d'eau et le tour est joué!

Les sacs de sports de vos enfants dégagent des odeurs désagréables que vous n'arrivez pas à faire disparaître complètement, même en les lavant soigneusement.

Un petit truc: versez un peu de bicarbonate de soude (environ 30 ml) dans le fond des sacs vides durant les périodes où ils ne servent pas. Au moment de leur utilisation, passez un coup d'aspirateur et les odeurs ne seront plus qu'un mauvais souvenir. De plus, vous évitez la formation de moisissures.

12

ET LES
ENFANTS...

Pour nettoyer les jouets et les désinfecter sans danger, lavez-les avec ce mélange: 4 tasses (1 litre) d'eau et 1 cuil. à soupe (15 ml) de bicarbonate de soude. Rincez bien.

Pour rafraîchir les toutous rembourrés, saupoudrez-les de bicarbonate de soude, laissez agir pendant une quinzaine de minutes et brossez-les.

L'odeur de vomi est particulièrement forte et désagréable. Sur un tapis, c'est un drame. (Un peu comme le pipi de minou ou pitou.) D'abord, enlevez ce que vous pouvez avec des essuie-tout. Puis, saupoudrez du bicarbonate de soude sur la tache afin de faire disparaître l'odeur. Saupoudrez ensuite de sel, pour extraire le liquide imprégné dans le tapis. Passez l'aspirateur. S'il le faut, répétez l'opération.

Si vous utilisez des couches lavables, ajoutez du bicarbonate de soude à votre eau lorsque vous les lavez.

Un peu de bicarbonate de soude dans l'eau du bain de bébé aidera à soulager les irritations dues aux couches.

Le même traitement sera très efficace pour atténuer les démangeaisons et les irritations causées par la rougeole et la varicelle. (Mêmes propriétés calmantes si vous souffrez d'eczéma.)

Parlant de démangeaisons... Si par malheur vous ou un membre de votre famille deviez être obligé de porter un plâtre, sachez que vous pourrez soulager les démangeaisons en poussant de la poudre de bicarbonate de soude sous le plâtre à l'aide d'un séchoir à cheveux (ajusté à «*Cool*» pour «Fraîcheur et à la plus faible puissance).

Vos artistes en herbe ont décidé de peindre des fresques sur vos murs?

Vous pouvez les féliciter et admirer leur travail, sachant que, l'émotion passée, vous pourrez toujours retrouver des murs plus ordinaires, mais propres, en utilisant une éponge et du bicarbonate de soude pour effacer les chefs-d'oeuvre de la journée!

Vos petits adorent la pâte à modeler. Fabriquez-la vous-même!

La recette est toute simple: 1 ¼ tasse (300 ml) d'eau, 2 tasses (500 ml) de bicarbonate de soude, 1 tasse (250 ml) de fécule de maïs (*corn starch*). Pour les couleurs: des colorants alimentaires.

Vous réagissez fortement aux piqûres d'insectes. Vous n'arrêtez pas de vous gratter et les démangeaisons s'amplifient.

Appliquez une pâte (pas trop liquide) faite de bicarbonate de soude et de vinaigre de cidre. Les effets désagréables de la piqûre d'insecte se calmeront rapidement et vous pourrez continuer vos activités extérieures sans être incommodé.

Par contre, si vous réagissez mal à ce traitement, arrêtez-le aussitôt.

13

DANS LE JARDIN

Vous aimez les oiseaux?

N'oubliez pas de nettoyer leurs mangeoires de temps en temps... avec de l'eau et du bicarbonate de soude. Quant à leur baignoire, si vous la lavez avec une pâte d'eau et de bicarbonate de soude, elle sera plus que propre: sans moisissure et sans résidus de produits chimiques.

Pour nettoyer les pots de terre cuite, souvent attaqués par le calcaire, une pâte épaisse de bicarbonate et de vinaigre fera des prodiges!

Nettoyez ensuite à grande eau et voilà des pots propres, stérilisés et prêts pour de nouvelles plantes.

Dans le carré de sable où les fourmis se sont installées, mettez une boîte de bicarbonate de soude. Elles iront jouer ailleurs!

Si vous voyez de la moisissure noire sur vos rosiers, vaporisez-les tout de suite avec cette solution: 1 tasse (250 ml) de bicarbonate de soude dans 4 tasses (1 litre) d'eau. Cela évitera que la moisissure ne s'étende.

En saupoudrant (attention: j'ai bien dit saupoudrer!!!), du bicarbonate de soude sur votre gazon, vous éloignerez les puces et les tiques qui risquent d'attaquer votre animal de compagnie!

Des «bibittes» se sont installées chez vous? Même en sachant que tout être vivant a son utilité, il faut parfois se débarrasser d'invités trop envahissants.

Dans toute la maison, et autour de la maison, voici une façon simple de se débarrasser des fourmis, des perce-oreilles, des araignées et de toutes sortes d'insectes rampants indésirables.

Dans de petits contenants où les bestioles peuvent facilement entrer, mettez un mélange de bicarbonate de soude et de sucre à glacer à parts égales. Les «bibittes» adorent le sucre, mais ne digèrent pas le bicarbonate de soude, qui les empoisonnera.

Le vinaigre est un produit à saveur acide que l'on utilise dans la cuisine. On le retrouve dans de très nombreuses recettes.

Mais, plusieurs millénaires avant Jésus-Christ, le vinaigre était un agent guérisseur très apprécié.

Le vinaigre a aussi contribué, comme désinfectant, à la lutte contre la propagation de la peste au Moyen-Âge.

14

UN AUTRE PRODUIT À CONNAÎTRE: LE VINAGRE

La cuisine est l'endroit où nous rencontrons le plus souvent le vinaigre de nos jours. Il est l'ingrédient essentiel pour relever le goût de plusieurs recettes. Que seraient les sauces sans le vinaigre qu'on y ajoute? Seulement quelques gouttes suffisent pour rendre les salades divinement savoureuses, pour empêcher les œufs durs de se fendiller dans l'eau bouillante, pour faire macérer quelques minutes les poissons avant la cuisson.

Sans le vinaigre, nous n'aurions plus de délicieuses vinaigrettes pour accompagner les salades.

Du côté du nettoyage, le vinaigre est aussi polyvalent et efficace que le bicarbonate de soude.

Utilisez plutôt le vinaigre d'alcool pour le nettoyage. Il est efficace pour désinfecter, faire briller et est excellent pour éliminer le calcaire. Ainsi, dans votre bouilloire et votre cafetière électriques, mettre de l'eau en quantité suffisante et additionnez d'environ 50 ml de vinaigre. Faites bouillir l'eau et retirez-la. Rincez bien et recommencez l'opération, cette fois-ci sans vinaigre. Rincez de nouveau pour vous assurer que le vinaigre a été complètement éliminé.

En faisant cet entretien une fois par mois, vos appareils ne seront plus tachés de calcaire et vous augmente-rez leur durée de vie.

Pour la désinfection de vos articles de toilette comme les peignes, les brosses à dents, les brosses à cheveux, faites-les tremper quelques minutes dans une solution d'eau chaude et de vinaigre. Rincez à grande eau pendant plusieurs minutes après le trempage afin d'éliminer complètement tout le vinaigre.

Pour les vitres et les miroirs, le vinaigre n'a pas son équivalent pour nettoyer et faire briller.

Comme pour le bicarbonate de sou-de, faites toujours un essai sur une surface non visible.

15

POUR TERMINER...

Vous pouvez aussi préparer, très facilement et de façon très économique, **un désodorisant**: dans un vaporisateur, mélangez 1 cuil. à thé (5 ml) de bicarbonate de soude, 1 cuil. à thé (5 ml) de jus de citron, 2 ou trois gouttes de votre huile essentielle préférée et 2 tasses (500 ml) d'eau chaude.

Excellent pour purifier l'air et éliminer les mauvaises odeurs.

Une **poudre à récurer** tout usage: Dans un contenant à saupoudrer, mélangez 1 tasse (250 ml) de bicarbonate de soude et ¼ de tasse (60 ml) de borax.

Une **crème à récurer** douce: dans un contenant à gicleur, mettez ¼ de tasse (60 ml) de bicarbonate de soude, 1/8 de tasse (30 ml) de borax, 1/8 de tasse (30 ml) de cristaux de soude et versez du savon liquide jusqu'à obtention d'une crème onctueuse.

Le borax et les cristaux de soude sont légèrement caustiques mais sans danger si utilisés prudemment.

Nous savons que le bicarbonate de soude s'entend bien avec le citron et le vinaigre. Nous savons depuis toujours que le citron et le vinaigre ont, chacun à leur façon, des propriétés extraordinaires.

Je m'en voudrais cependant de ne pas glisser un mot sur les huiles essentielles.

Je vous encourage fortement à vous y intéresser, pour plusieurs raisons.

Elles aussi, utilisées intelligemment et **toujours parcimonieusement** (en général 2 ou 3 gouttes sont suffisantes et extrêmement efficaces), devraient faire partie de notre quotidien.

Le bicarbonate de soude est inodore: les huiles essentielles peuvent

le parfumer: lavande (la plus populaire), orange, eucalyptus, sapin, etc.

Chacune a des propriétés précises.
Allez faire un tour dans un magasin
de produits naturels et commencez
par utiliser une essence qui vous plaît.
Puis, une huile à la fois, (les huiles
essentielles véritables et pures sont
chères!), composez votre collection.

L'aromathérapie est de plus en plus
populaire. Et ce n'est pas surprenant.

J'ai d'ailleurs une petite anecdote à
vous raconter sur la puissance évoca-
trice d'un parfum...

Je suis né à la campagne et j'y ai vécu toute mon enfance. Ma famille et moi habitions une maison plutôt modeste, mais le jardin qui l'entourait était une source de joies multiples tant à cause des légumes qui y poussaient en abondance que pour les jeux qui réunissaient les enfants du village.

Longtemps après avoir quitté et mon enfance et mon village, j'ai vécu en Floride pendant quelques années.

Un jour de printemps, au marché d'alimentation, dans la section des fruits et légumes, on vendait des pots d'herbes fraîches. J'ai froissé la feuille d'une des plantes offertes entre le pouce et l'index et j'ai porté mes doigts à mon nez.

C'était de la menthe.

Instantanément, toute mon enfance m'est revenue!

Toute la journée j'ai été habité par une immense nostalgie.

Pas la méchante.

La bonne!

Celle qui fait du bien.

Même quand l'émotion nous mouille les yeux.

Voilà.

J'allais dire: «C'est tout.»

Mais non...

Ce n'est pas fini.

Je crois au contraire que l'histoire du bicarbonate de soude ne fait que commencer! On parle de plus en plus d'un environnement «vert» et pur.

De plus en plus de gens sont sensibles aux problèmes engendrés par la pollution et le manque de respect de certains dirigeants pour la belle planète que nous habitons.

De plus en plus, aussi, on se dit que si chaque être humain posait un geste, même un tout petit geste, cela changerait les choses. Par exemple, si chacun;

- changeait une mauvaise habitude contre une bonne;

- remplaçait un produit néfaste par un autre, inoffensif;

- réalisait qu'après lui le monde ne s'arrêtera pas;

- pensait aujourd'hui à ce qu'il laissera derrière lui demain...

Alors, le monde entier aurait des millions de raisons de croire en un avenir meilleur pour la Terre.

Je souhaite que ma curiosité vous ait rendus curieux!

...que les trucs que j'ai réunis dans ce petit ouvrage vous seront utiles.

...que vous aurez du plaisir à découvrir le bicarbonate de soude et qu'il réussira, par sa polyvalence et son pouvoir, à supplanter les dizaines de produits dont la publicité nous vante les mérites afin de nous faire croire qu'ils sont indispensables!

Imprimé sur du papier Rolland Enviro 100, contenant 100% de fibres recyclées postconsommation, certifié Éco-Logo, Procédé sans chlore, FSC Recyclé et fabriqué à partir d'énergie biogaz.

Imprimé au Canada.